J'appr... à li...
avec Sami e...

Vive les vacances

Emmanuelle Massonaud

CW00429236

hachette
ÉDUCATION

Maquette de couverture : Mélissa Chalot
Couverture : Sylvie Fécamp
Maquette intérieure : Mélissa Chalot
Mise en pages : Typo-Virgule
Illustrations : Thérèse Bonté
Édition : Laurence Lesbre

ISBN : 978-2-01-625503-2
© Hachette Livre 2018.

Achevé d'imprimer en novembre 2021 en Espagne par Unigraf
Dépôt légal : Juillet 2018 - Édition 11 - 63/9612/2

Les personnages de l'histoire

Sami

Julie

Papa

Maman

Tobi

Youpi, l'école est finie ! Sami et Julie ont bien travaillé toute l'année, et Papa et Maman aussi. Tout le monde est épuisé, et chacun ne rêve que d'une chose : profiter de vacances bien méritées.

Nos petits héros vont prendre la route dès demain. Où partent-ils ?

Au *Camping des rosiers fleuris*, bien sûr !

Vive les vacances, vive l'insouciance ! Mais patience, patience… il faut d'abord finir de préparer les bagages…

Papa déclare d'un ton solennel :

– Je vous préviens : cette année, je ne veux qu'un sac par personne. Nous partons en vacances, pas pour toute la vie ! Et je vous rappelle que je conduis une voiture ; pas un camion ! De plus, nous avons un chien qui n'est pas vraiment petit ! Je compte donc sur chacun d'entre vous pour être raisonnable.

– Entendu, Papa ! Un sac par personne, répondent en chœur Sami et Julie.

Mais, au matin du grand départ, le chargement de la voiture s'annonce plus compliqué que prévu... Un grand sac pour Papa et Maman, une petite valise pour Julie, une autre pour Sami, plus : quatre paires de palmes, un ballon, deux

cannes à pêche, une épuisette, un seau, le bateau pneumatique et ses rames, un parasol, la tente, le réchaud, une table pliante, quatre duvets... Sans compter la glacière, le Thermos à café... et la gamelle de Tobi, bien sûr !

Ouf, ça y est ! Tout est chargé, et les vélos sont bien arrimés.

– En voiture ! s'exclame Maman qui fait déjà vrombir le moteur.

– Tout le monde a fait pipi ? demande Papa.

– Ouiiii !

– Mwouf…, répond Tobi d'un ton plaintif.

– Sami, Julie, vous n'avez pas promené Tobi ?

Sami et Julie sortent de la voiture tout penauds et vont promener leur chien comme il faut.

Le faux départ est vite oublié : tout est arrangé. Tobi est soulagé. Sami et Julie s'installent de nouveau à bord. L'heure tourne ; il commence à faire très chaud ; il est grand temps de prendre la route.

– Vive les vacances ! On est partis ! À nous les *Rosiers fleuris*, chantent Sami et Julie à tue-tête.

CAMPING 700

Mais, tout à coup, un cri retentit.

– Catastrophe ! J'ai oublié
ma lampe de poche ! hurle Sami.

– Ne crie pas comme ça,
dit Papa : c'est dangereux
pour la personne qui conduit.

– Il faut qu'on retourne
la chercher : j'en ai absolument
besoin pour jouer avec Tom !

– Dis plutôt que tu en as besoin
pour te rassurer la nuit,
chuchote Julie qui connaît toutes
les petites manies de Sami.

CAMPING 695

Maman regarde Sami à travers le rétroviseur et déclare d'une voix qui se veut la plus calme possible :

– Écoute-moi bien, mon petit chéri : 694 kilomètres de route nous attendent. Il n'est pas question de retourner à la maison. Tant qu'on n'est pas sortis de ces embouteillages, je ne veux entendre qu'une mouche voler. Suis-je claire ?

CAMPING 694

Quand Papa a réalisé que Sami et Julie ne trouvaient rien de mieux que de jouer à imiter une mouche en vol, il a mis la radio préférée de Maman pour éviter que la situation

ne tourne à l'orage. Et, heureuse-
ment, l'autoroute s'est peu à peu
dégagée, et Maman a pu – oh,
très raisonnablement – appuyer sur
l'accélérateur. Joie et bonheur…

– Double ! Mais double ! se met
à répéter Papa à tout bout
de champ.

– J'ai faim… Quand est-ce qu'on
arrive ? renchérit Julie.

– Bon, finit par répliquer Maman,
un peu exaspérée, il est grand
temps de faire une pause.

– Youpi ! s'écrie Julie, réveillant
Sami qui faisait un petit somme.

– On est arrivés ? demande Sami.

– Pas vraiment…, répond Maman.

Rien de mieux qu'un bel arbre pour pique-niquer au frais. Toute la famille se désaltère et déguste les délicieux sandwichs préparés par Papa.

– C'est merveilleux ! s'exclame Maman en s'étirant. Je me sens déjà en vacances.

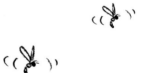

Mais voilà que des guêpes s'invitent à la fête et se mettent à tournoyer avec insistance autour du jambon, des chips et des tomates. Elles semblent aussi apprécier les Esquimaux au chocolat !

CAMPING 575

– Repli général ! Tous en voiture !
s'écrie Papa en ramassant,
tant bien que mal, les restes
du déjeuner.

Bien entendu, Sami n'a pas voulu lâcher son Esquimau, qui dégouline partout.

– Mais avale-le ! ordonne Maman. Avale-le !

Tobi a été le plus rapide. Gloups : adieu, plus d'Esquimau !

– Eh bien, comme ça, ça ne coule plus, dit Julie. Bon, Papa, quand est-ce qu'on arrive ?

– Dans environ... six heures ! répond Papa dépité.

CAMPING 574

Et la route défile, défile, défile...

Tout le monde, sauf le conducteur bien sûr, s'est finalement assoupi.

Tout à coup, Sami s'écrie :

– La mer ! Là, regardez ! La mer !

Les uns après les autres, les passagers se réveillent et ouvrent leurs yeux sur ce magnifique paysage.

La mer ! Quel émerveillement !

Sami et Julie, toutes fenêtres ouvertes, hurlent dans le vent :

– On est arrivé ! Vive les vacances ! On est arrivé !

As-tu bien compris l'histoire ?

1 Où vont-ils tous en vacances ?

2 Cite quelques objets que la famille emporte.

3 Combien de kilomètres ont-ils à parcourir ?

CAMPING 700

4 Qui a oublié de faire pipi ?

5 Qui conduit ?

6 Qu'est-ce que Sami a oublié ?

Et toi, qu'en penses-tu ?

Que mets-tu
dans ta valise
pour les vacances ?

Aimes-tu
partir
en voyage ?

Comment
t'occupes-tu
pendant les voyages
en voiture ?

Es-tu déjà
allé(e)
à la mer ?

Quel est
ton plus beau
souvenir
de vacances ?

Dans la même collection

hachette
ÉDUCATION